KB104011

백합의 꿈

- 상아탑 -

백합의 꿈 – 상아탑

발 행 | 2024년 07월 15일
저 자 | 한충한
펴낸이 | 한건희
펴낸곳 | 주식회사 부크크
출판사등록 | 2014.07.15.(제2014-16호)
주 소 | 서울특별시 금천구 가산디지털1로 119 SK트윈타워 A동 305호
전 화 | 1670-8316
이메일 | info@bookk.co.kr

ISBN | 979-11-410-9524-6

백합의 꿈

상아탑

한충한 지음

차례

시작 글

연어의 꿈

휘몰아치는 폭풍우
역류하는 거센 물살
찢기는 살갗

지치고 힘들어도
가야만 하는 운명

아득한 저곳
고지가 저긴데

아스라이 보이는
희망이란 무지개

진리란?

진리란 과거에도 있었고
현재도 있고 미래에도 영원히 있을 것이다

인간의 지혜와 능력은
불완전하다

하나님께서
인간을 사랑하시고
모든 것을 알고 계시며
우리가 진리를 알기 원하시고
우리와 함께 계시기를 원하신다

지상에서 가장 행복한 사람은
진리를 따라 생활하는 사람이다

1975년 2월 21일 금요일

세상을 버릴 수 있는가?

"너는 세상을 버릴 수 있는가?
너는 너를
즉 자아를 버릴 수 있느냐?"

세상에서 버림받아
머리 깎고 스님 되려는
나혜석에게
스님께서 하신 말이다

하나님 말씀대로 살기 위해서는
세상을 버릴 수 있어야 한다

1975년 2월 26일 수요일

봄날의 꿈

따뜻한 봄날의 꿈
그 꿈을 안고
20년을 살았다

이렇게 살았어도
남는 것은

타버린 재 같은
허무뿐

앞으로의 삶을
어떻게 창조할 것인가?

1975년 3월 17일 월요일

방송고 합격자

점심때
광주시 교육청에 가서
방송통신고등학교 합격자 명단 확인

합격은 했는데
합격 용지도 없어
확인만 하고 돌아왔다

1975년 4월 3일 목요일

입학식

날씨는 완전히 개었으나
마음은 개이지 않는다
방송통신고등학교 등록금 걱정

16,000원 빚을 내어
광주 고등학교에 가서 납부하고
입학식까지 마치고 왔다

크고 작은 사람
우악스럽고 순진하게 보이는 사람
울긋불긋 가지각색의 옷 입은 사람들
모두 늦은 나이에
고등학교 공부하려고 찾아왔다

집에 오는 길
충장로 삼복서점에 들러
교과서를 받아 들고 왔다

1975년 4월 6일 일요일

등교일

매월 첫 주와 셋째 주 일요일
광주고등학교 부설
방송통신고등학교
출석 수업 등교일

혼자 하는 것보다
이해도 잘 되고
재미도 있다

1975년 5월 4일 일요일

인생에 대한 회의

어젯밤 이불도 덮지 않고
그대로 쓰러져 자고 나니
아침에 감기가 찾아왔다

의지할 곳 없는 마음
어디에서 즐거움을 찾아
살아갈 것인가?

인생에 대한 회의가
머리를 든다

1975년 5월 19일 월요일

자학자습

보람된 하루란
거짓 없이 진실하게
아름답게
충실하게
살아온 하루여야 한다

방송통신고등학교 공부
방송 청취로서는 어렵다
스스로 자학자습해야 한다

1975년 5월 27일 화요일

소녀와 봉선화

9살 소녀
앞마당에 쭈그리고 앉아
화분에 흙을 담아
봉선화 한 송이를 심는다

우리 집 꽃나무라곤
며칠 전 소녀가 씨 뿌려
장독대 밑에 파릇파릇 돋아난
몇 송이의 봉선화
신기하고 아름답고 흐뭇한 모습
화분도 집에 없는데 어디서 가져왔는지

어린 소녀의 고사리 같은 손으로
꽃을 심고 물을 주고
조심스레 화분을 들어
한쪽 구석에 놓고
그제야 안도의 숨을 몰아쉬고
손을 씻는다

꽃을 심는
소녀의 아름다운 마음

손을 씻는
소녀의 깨끗한 마음

꽃을 가꾸는
소녀의 고운 마음

꽃을 보는
소녀의 흐뭇한 마음

꽃에 물든 아이들
돈에 물든 어른들

꽃을 가꾸며 사는 삶
삶에 지친 우리가
여유를 배운다

1975년 6월 7일 토요일

파문

고요한 호수는
언제까지 잔잔 하려나

희미한 의식 속
들리는 건 터질 듯한 고요

번개가 번쩍 하늘을 가르며
무섭게 발산하는 눈부신 광채

온 하늘을 휘도는 천둥소리

하나 둘 후두득
양철 지붕 때리는
빗방울 소리

밀려오는 답답함과 괴로움
밤하늘에 던지고 싶다

1975년 6월 7일 토요일

헌책방

월산동 파출소 근처
즐비하게 있는 헌책방들
300원어치 책 7권을 사들고 왔다

많은 책을 사게 되니 흐뭇하다
그래서 헌책방을 즐겨 찾는다

헌책 고물 장수가 있으면
리어카에서 그냥 책을 뒤진다

운만 좋으면
요즘 찾아보기 힘든 책을
찾을 수도 있어서 좋다

1975년 6월 20일 금요일

성공이란?

자신의 선한 뜻과 능력을
충분히 발휘하는 것

열등감, 자기 불신, 자포자기는 실패의 원인
동시에 가장 두려운 악 중의 악이다

게으름도 실패의 원인이고 악(惡)이다

꽃들도 계절 따라
다른 모양, 다른 색으로 피고 지듯

하늘의 별들도 하나하나 아름답듯
만물은 제각기 가치를 지니고 있다

사람도 자기의 선한 뜻과 능력을
충분히 발휘하면 그것으로 족하다

1975년 7월 11일 금요일

생명에 대한 감사

미친 듯 뜨거움을 발산했던 태양
인간들을 괴롭히다 사라진다

무등산에서 떠오르는
듬직하고 몽실몽실한 밝은 보름달

졸리운 듯 깜빡이는
조그만 별들 보며 나를 바라본다
누구인지 어디서 왔는지 모른다
태어나지 않았더라면 무(無)로 되었을 터인데

부여받은 생명
태어나지 않은 것만 못한 생각에
원망을 해야 할까?

행복에 겨워 끊임없이
감사해야 할까?

1975년 7월 22일 화요일

졸음

아침부터 태양은 인간을 태우려
땅덩어리를 달구고 있다

지독한 무더위
졸음을 몰고 오는 한 낮 자개공방

숨이 막히고
침이 마르고

눈을 감기려
무섭게 덮쳐오는 졸음

무거운 머리는
아래로 내려갔다
위로 올라갔다 한다

1975년 8월 3일 일요일

입추(立秋)

가을이 온다는 입추(立秋)

하루 일을 마치고
위층 옥상에 누워
밤하늘의 별을 바라본다

잠시 일어났다 사라지는
물거품 같은 인생

살기 위한 모든 욕망
다 무슨 필요 있을까?

1975년 8월 11일 월요일

처서(處暑)

무덥던 삼복더위 지나
여름이 집으로 돌아가는 날

제법 서늘한 밤공기
가을 오라 손짓한다

살갗을 스치는
서늘한 소슬바람

휘영청 떠
홀로 흘러가는 달

마음마저 쓸쓸한
담 밑의 귀뚜라미의 소리

1975년 8월 22일 금요일

가을은 이렇게 오는가?

아침저녁
온몸으로 스며드는
가을 냄새

담 밑에 숨어
가을을 부르는
귀뚜라미 소리

남몰래 피었다
남몰래 시드는
이름 없는 한 포기 풀
가을은 이렇게 오는가?

무지개 찾듯
인생길 찾으며
아직도 꿈을 꾸는데

1975년 8월 25일 월요일

갈잎의 흐느낌

가을날 피어오른
갈잎의 흐느낌

가버린 날들 추억하며
오가는 바람 따라

떠돌고 구르는
외로운 낙엽들

해 질 녘
막힌 가슴 울리며
들려오는 저녁 종소리

1975년 9월 1일 월요일

헌책들

새벽 4시
눈은 떠졌으나
누워서 뒹굴 뒹글

새벽 5시 기상
방송통신고등학교 방송 청취

하루 종일 선반 만들어
책을 정리하며 보니
헌책방에서 사 가지고 와서
얼마 읽지 않는 책들이 수두룩한데
끝까지 읽은 책이 별로 없다

대부분 겉핥기로 끝냈지만
모인 책들을 바라보는
마음은 부자인 듯
마냥 흐뭇하다

1975년 9월 15일 월요일

추석 전야 풍경

나전칠기 공장의 추석
모처럼 5일간 쉴 수 있는 휴일일 뿐

어둠을 잉태하고 사라진 태양
세상은 어둠 속에 추석 전야를 맞는다

떡 방앗간 앞
송편 빚을 떡 쌀 담은 대야를 앞에 놓고
줄지어 쭈그리고 앉아 있는 엄마들

집집마다 추석 준비 분주한데
한쪽에선 맥이 풀어져 주저앉아
한숨으로 땅을 파고 있다

만취한 신사는 비틀거리며
명절에게 욕을 하는지
입에서 욕을 힘없이 줄줄 내뱉고
거리를 활보한다

어둠 속을 뚫고 가는
녹슨 허름한 자전거

광주시 청소반이라 쓰인
노란 안전모 중년 남자

비틀거리는 자전거
균형을 잃고 길바닥에 나뒹굴어진다

술에 만취하여 의식불명인 듯
인심 좋은 어른이 부축하여 일으킨다

자전거 뒤 짐 싣는 곳에 묶여있는
조그마한 쌀자루 하나
추석 송편 만들려
힘겹게 마련한 듯

즐거운 마음으로 기다린 명절은
어디로 갔을까?

1975년 9월 19일

인생 교육

출석수업
양동 가구점 문을 열어놓고 가느라
오늘도 지각
그래도 하루 수업은 즐겁다

체육 선생님이 몸 건강법, 정신 건강법 등
인생 살아가는 법을 가르쳐 주신다

시험 위주의 교육보다
좀 더 폭넓은 인생을 가르치는
교육이 좋다

1975년 9월 28일 일요일

산다는 가치

내 눈은
추한 것만 보이는 눈인가?

내 머리는
추한 것만 생각하는 머리인가?

다투고, 싸우고, 죽고, 죽이는
험악한 세상의 추한 인간들
인간의 존엄성을 이해할 수 없다

하루살이 벌레처럼 무가치한 인생들
모든 생명체는 죽음을 안고 태어난다
내가 죽는다고 비를 내릴 수 있을까?
풀 한 포기를 옮길 수 있을까?

그저 살다 사라지는
풀잎에 앉은 이슬
물거품 같은 존재

인간들은 먹고, 마시고, 활동하고, 휴식하며
잔재미를 만들어 가면서 살고 있다

산다는 가치는 무엇인가?
무엇 때문에 사는가?

그냥 무턱대고 사는 사람들
신(神)의 뜻을 좇아 사는 사람들은 드물다
신(神)을 긍정하지 않고서
사는 문제는 영원한 숙제로 남게 될 텐데

피조물로서 인간은
조물주를 기쁘시게 할 의무가 있어
생의 의미가 부여되는데

진화론적 인간은
생을 긍정할 아무런 의의와 가치가 없다

1975년 10월 5일 일요일

가을바람

술렁거리는 마음
가을바람 탓일까?

퇴근 시간
자전거로 시내를 배회하다
진정되어 돌아오니 허망함 뿐

무지개 잡으러 갔다가
빈손으로 돌아온 모습

나뭇잎을 떨치며
스쳐가는 가을바람

텅 빈 마음속을
한바탕 휘젓고 간다

1975년 10월 9일 목요일

부질없는 사념(思念)들

한 번뿐인 생명이지만
언젠가 사라져야 할 생명

괴롭고 외롭고
어두운 인생이
귀한 생명으로 느껴질까?

삶의 본능적 욕망으로
구질구질하게
살게 될까 두렵다

1975년 10월 10일 금요일

인생을 안다는 것은?

인생은 나서 자라고
늙고 병들어 죽는 것
정말 싫은 일이다

하루를 사나 일생을 사나
산다는 것은 본래 욕망

인생을 안다는 것은
바닷속을 가보지 않고
바닷속을 안다는 것

그 매듭을 풀지 못해
생활에 얽매인 인간들

기쁨, 사랑, 행복, 슬픔
모든 것은 순간
아름다움도 잠시 뿐

1975년 10월 15일 수요일

마지막 잎 새

가을
찬 기운이 번진다
나무 가지 끝에 매달린
마지막 잎 새
안간힘으로 버티는
끈질긴 생명

가을바람에 견디지 못해
잡은 손을 힘없이 놓고 떨어진다

하나, 둘 떨어지는 생명들을 세어보는
노인의 눈에 고인 서러움
고개 들어
하늘을 바라본다

1975년 10월 21일 화요일

'생의 한가운데' 강연회

'루이제 린저' 여사의 '생의 한가운데' 강연회
오후 3시
'문학사상' 잡지 한 권을
사가지고 가느라
겨우 입장했다

강연 내용은 여성 해방에 대한 이야기
이어령 교수의 동양과 서양의 의식 구조의 차이

루이제 린저 여사 강연은
충분한 의사 전달을 받을 수 없어
답답했지만 여성에 대해 많은 것을 배웠다

이어령 교수의 강의는
의미 깊은 내용들을
재미있게 해학적인 표현으로 설명해주어
많이 배웠다

1975년 10월 24일 금요일

코스모스

가녀린 목에
활짝 핀 꽃잎

티 없이 맑은
새하얀 꽃잎

날아드는 나비가
눈부시어 날아간다

1975년 10월 26일 일요일

낙엽

점점 식어가는 땅 덩어리
포근히 감싸는
가을 햇살

광주공원 나무들
사이를 스치는 바람

견디지 못해
앞을 다투어
우수수 떨어지는
낙엽들

구르는 낙엽
쌓이는 낙엽

낙엽 사이사이에
추억을 끼워 넣는다

1975년 11월 7일 금요일

생활의 멍에

우물 안의 개구리
고달픈 생활의 멍에

위축된 삶
더 이상 눌려지지 않는다

홀가분하게 목표를 설정하고
좀 더 넓게 세상을 바라보자

새처럼 날개를 활짝 펴고
창공을 날아보자

1975년 11월 9일 일요일

한가(閑暇)

가뜩이나 많아진 잡념
서서히 지쳐가고 있다

불안하고 허전하여
마음의 갈피를 잡지 못하고

책은 손에 잡히지도 않는다
아예 책을 읽고 싶은 마음이 생기지 않는다

마음을 한 곳에만 집중할 수 없을까?

윌리엄 헨리 데이비스(W.H Davies)의 '한가(閑暇)'에 대한
시(詩)에서 여유를 찾아본다.

"근심이 가득 차도 잠시 멈춰서 자세히
바라볼 시간조차 없으면
인생이란 무엇일까?"

나무 아래 서서 양이나 소들을
천천히 바라볼 시간조차 없으면

숲을 지날 때 다람쥐들이 수풀에 도토리 감추는 것을
바라볼 시간조차 없으면

한낮에 밤하늘별처럼 반짝이는 시냇물을
바라볼 시간조차 없으면

미인의 눈초리와 춤추는 자태와 그 발을
바라볼 시간조차 없으면

그녀의 눈가에서 시작한 미소가 입에서 활짝 필 때를
기다릴 시간조차 없으면

근심이 가득 차도 잠시 멈춰서 자세히
바라볼 시간조차 없으면

인생이란 무엇일까?"

1975년 11월 27일 목요일

삶의 방향

인생을
돈 버는 데 허비한 사람
향락으로 허비한 사람
자신만을 위해 사는 사람
봉사와 희생으로 사는 사람
종교의 신앙으로 사는 사람
무감각하게 사는 사람
나라를 위해
이웃을 위해 사는 사람

오늘도 무감각 속에
살지는 않았나?

1975년 12월 15일 월요일

사계(四季)

광주고등학교
교실 창밖
하늘에서 춤추며 내려오는
함박눈

몹시 춥긴 해도
보람과 즐거움의 하루

어느덧 이곳에서
봄, 여름, 가을, 겨울
네 번의 계절들을 보내고 있다

1975년 12월 21일 일요일

설경

이른 아침
온통 하얀 세상
울긋불긋하던 모든 것들
밤새 뒤집어쓴 하얀 모자

발밑에 오는 포근한 촉감
푹푹 빠지는 발밑
뽀드득뽀드득
아프다고 외치는 소리
잔인한 인간은 이 소리가 좋아
힘껏 발을 내딛는다

뛰다 말고 바라보는
광주 공원 나무 위 하얀 눈꽃들
아름다운 설경이 아까워
눈에 담으려 애썼다

1975년 12월 22일 월요일

화(火)

눈(雪)은 오지 않고
날카로운 찬바람만
허공을 맴돈다

외모 얼굴은
불과 1mm 껍질

생의 방향을 찾으며
내면을 가꾸는 사람이
아름답다

'화(火)'라는
마음의 불
사람을 추하게 만든다

1975년 12월 23일 화요일

별빛 여행

잠 못 이루는
차갑고 까만 겨울밤

졸리운 듯 깜빡이는
별과 함께 밤을 지새운다

뭇별의 여왕처럼
도도하고 거만하게
별들 사이를 유유히 여행하는
구름 속 달님

인간, 자연, 우주, 하나님
아름다운 영혼을 위한
생각 여행을 떠난다

1975년 12월 29일 월요일

인생을 음미 할 시간

목적도 없는 저녁 외출
갈 곳 없는 어두운 거리
정신을 가눌 수 없는 삭막한 거리
목적 없는 황막한 삶

여태 쌓아온 생각의 성들이
모래성처럼 와르르 허물어져
사막의 신기루처럼 흩어진다

재잘거리는 수많은 사람들
아무런 상관도 없는 사람들
저들은 다 무엇인가?

창조주에게 부여받은 생명
왜 저들과 마음에
담을 쌓아놓고 있는지?
한 형제요 자매들일 텐데

껍데기만 다를 뿐
본질은 같은 것인데

어느새 마음에 담을 쌓고
서로 의심의 눈초리와
가득 찬 악한 마음
이게 인간의 본질인가?

아무리 많이 주어도
만족 없는 욕심쟁이들

인생이 짧은 게 아니라
과한 욕심으로
인생을 맛볼 수 있는 시간이
짧은 것이다

1976년 1월 1일 목요일

악의 뿌리

참으로 이상한 일이다
싫어해야 할 이유도 없는데

벽을 너무 두텁게 쌓아
이해하지 못하는 때문인지

온몸이 악의 세포로만 이루어져
악으로 둘러싸여 있어서인지

주여!
악을 제거할 수 있는 방법을
가르쳐 주시고

악의 뿌리를
뽑아 주소서

1976년 1월 2일 금요일

연탄 한 장

어린 여자 아이가
이것 좀 들어줘요 한다

얼른 보니
겨우 5, 6세 정도
가난해 보이는 모습

연탄 한 장을 세수 대야에 담아
머리에 이고 가려는 것이다

가엾은 마음에 연탄을 들고
집까지 데려다주고 집을 보니
생활을 짐작할 만했다
저렇게 가난한 집도 있구나!

1976년 1월 15일 목요일

밥 한 그릇

아홉 살 무렵
월산동 수원지 꼭대기 셋방살이 집

동사무소 배급 식량
옥수수가루와 밀가루
매일 죽만 끓여 먹고 있으니
가끔 밥을 한 그릇씩 주신 주인집
윤재준씨 댁
그때 기억을 더듬어 그 집을 찾았다.
밀감 선물상자 하나 사들고
그 집을 들어서니
그때 그 아줌마가 나오신다

오래전 일이라
차츰 기억을 더듬어
오랜 기억 속에서
나를 찾아 주신다

1976년 1월 31일 일요일

사명

생명을 선물로 받은 인간
무슨 사명으로 세상에 왔는지 알 수 없어
죽음의 불속으로 걸어가는 인생들

욕심대로 마음대로
아무렇게 살 수 없는 인생

창조주께서 우리가 선택할 수 있도록
생각을 만들어 놓으셨다

조물주를 영화롭게 하는 게
피조물의 본분이거늘

사는 게 사명이라면 살리라
죽는 게 사명이라면 또 죽으리라

1976년 2월 7일 토요일

민족 개조론

도산 안창호 선생님의 '민족 개조론'에서
5대 개조는 국토개조, 사회의 개조, 생활의 개조,
성격의 개조, 정신의 개조이다.
5대 정신은 자주정신, 개척정신, 진실의 정신,
사랑의 정신, 봉사의 정신이다.
민족적 자신을 되찾고 훈련과 개조의 연단을 거쳐 세계 최고,
인류 최고의 규범 민족을 만들려는 도산 안창호 선생님 필생
의 희원(希願) 목표였다.
위대한 인격, 훌륭한 사상, 뛰어난 정신의 모든 위대한 것은
훈련의 소산이다.

신념은 기적을 낳고, 훈련은 천재를 만든다.
건전한 인격 훈련과 단결, 협동 훈련이 필요하다.
근면, 검소, 절약, 저축, 건강해야겠다.
전문 지식과 전문 기술을 익히고 덕을 쌓아야 하겠다.
모든 것을 꿰뚫어 볼 수 있는 눈을 가져야 하겠다.
1976년 3월 9일 화요일

하루의 시간

결코 이 하루가
가치 없고 무의미한
시간은 아닐진대

왜 이렇게 무의미하게만 느껴지는지
어떠한 삶으로 일관해야 할까?

깨끗한 하얀 종이 위에
불멸의 명작과 진리를 기록하는 사람
그저 낙서로만 그치는 사람
무언가 쓰려다 그만두는 사람

하루라는 종이 위에
영원한 진리를 기록하자

1976년 3월 13일 토요일

방송고 2학년

셋째 주 일요일
등록금과 책값 등
3만 원을 가지고 등교 하려하니
발길이 무겁다

2학년 1반이다
1학년 때 같은 반 친구들
10명 정도 우리 반이 되었다
반가운 친구들

1976년 3월 21일 일요일

최선을 다한 인생

순간 지나가 버릴 청춘
청춘을 허비하고 있는 듯하다

좀 더 큰일에 청춘을 쏟아야 하는데
아직 그것을 알지 못하고 있다

신앙으로 귀의해서
사랑을 실천하는 인간이 되어야 하겠고
공부도 해야겠고
돈도 벌어야 하는데
아깝기만 한 젊은 날의 시간

'최선을 다해 살았노라'
외치면서 죽을 수 있는 인생
후회 없는 인생이 되어야 한다

1976년 3월 29일 월요일

관조(觀照)의 삶

첫째 주 출석수업
뒤늦은 고등학교 생활
등교하면 재미와 보람이 있다

급우들과 나누는 얘기들
선생님으로부터 배우는 지식들
그런 모든 것들이 즐겁고 보람이 있지만
한편 매우 고된 작업이기도 하다
오후에 집에 돌아오면
온몸이 정상이 아니다

우물 안의 개구리가 되지 말고
하늘을 나는 새가 되어야 한다

인간과 지구와 우주까지
멀리 떼어놓고
바라볼 필요가 있다

1976년 4월 4일 일요일

정신과 육체

생명 속에
육신과 정신이 함께 존재한다
생명은 어디서 오는가?

육체는 썩어 흙이 된다
그럼 정신은 어찌 되나?

육신이 없어지면
정신이 무슨 필요 있는가?

정신이 없어지면
육신이 무슨 필요 있는가?

죽음은
제한된 육신과 함께 정신도 소멸되어 버릴 것인가?
인간들의 수수께끼다

1976년 4월 16일 금요일

우주

인간의 힘으로 벗어날 수 없는
우주 가운데 조그마한 땅덩어리
지구에 붙어사는 인간들
왔다 가고 끝없이 반복된다

인간, 동물, 모든 생물들
때가 되면 가야 한다
어디로 가는지 모르지만
가기 싫어도 가야 한다

인간은 죽어 땅의 음식이 되고
땅은 식물을 내어 동물의 음식이 된다

우주 저 광활한 곳은 무엇이며 왜 있는가?
영원할 것인가?
알려고 하지 않았던 사람들도 죽었고
알려는 사람들도 모두 죽었다

1976년 4월 17일 토요일

과학을 믿는 이유

"그것은 과학적인 근거가 없는 것이라 믿을 수 없다."라는
말을 며칠 전 라디오에서 들었다
모든 판단을 과학적 방법의 기준에 두는 이유는 무엇인가?
다른 것은 안 믿으면서 과학을 믿는 이유는 무엇인가?
과학만이 완전하다고 믿고 싶지 않다
이유는 인간이 만든 과학
변화하고 있는 과학
인간의 지능이 완전하다는 것을 믿을 수 없다

닭이나 새들은 타원형의 알을 낳는데
그것은 알이 잘 굴러가지 않도록 하기 위해서라고 한다.
또 그게 짐승들의 지혜라고 말하고 있다

어찌해서 그게 짐승들의 지혜인가?
그들이 그렇게 알을 낳고 싶어 낳는가?
원래 그렇게 만들어진 것이 아닌가?

1976년 4월 25일 일요일

후회 없는 삶

시간은 흐르고 세월은 가고 있다
이룬 것이 없어 마음 또한 바쁘다
인생의 경쟁에서 누가 더 후회 없이 살았고
행복하게 살았는가는 최후 순간에 가서 안다
후회 없는 삶이 되어야 한다

헤르만 헤세는
"오늘날 인생이 뭔가를 묻는 사람은 대단히 드물며 진실을
묻는 사람은 그 때문에 남보다 쉽게 죽어간다."라고 했다

스피노자는
"내일 당장 이 세상에 종말이 온다 해도
나는 한 그루의 사과나무를 심겠다."라고 했다

정신적인 여유, 건전한 취미, 물질적인 여유를 가져야 한다
피조물은 인간을 알고, 자연을 알고, 하나님을 알고,
인생을 알아야 한다

1976년 4월 26일 월요일

나전칠기 공방 아이들

자개공방에서 기술을 배우는
국민학교 갓 졸업한 아이들

자개 기술을 배우겠다고 찾아온
모두 착실한 아이들

이 아이들을 어떻게 하면
건실한 인간으로 선도할 수 있을까?
생각하며 하루를 보냈다

자라는 아이들에게
조그마한 길잡이라도
되었으면 좋겠다

1976년 5월 6일 목요일

확고한 생활관

출석수업
광주고등학교 뒷동산
교실 앞 아카시아 향기가
코끝을 유혹한다

순간순간
작은 즐거움 속에
살고 있을 뿐
어떤 곳에서 보람을 찾을 것인가?

저녁에 '시민관'에서 영화 관람
'저 하늘에 태양이(A window to the sky)'
유명한 스키선수가 불의의 사고로 불구가 된 후 휠체어를 타
면서 투지와 정신력으로 운명을 향해 도전하여 장애를 극복
하고 시골학교 담임 선생님이 되어 행복의 보금자리를 찾아
살고 있는 실화이다

1976년 5월 16일 일요일

인생이 가야 할 길

성실한 마음으로 성실한 자세로 살자
인생은 순간이다

인생에게 주어진 시간이 60년이라면
앞으로 남은 시간은 40년
40년 후 어디론가 가야 한다

그때 인생을 어떻게 살아왔는지
되돌아보게 될 것이다

40년 후 어떤 인생이 될지 아직 모른다
돈을 버는 인생, 교육자의 인생, 철학자의 인생,
종교가의 인생, 문학자의 인생 등

나를 만드신 창조주 뜻에 따라 살 것이다
그것만이 인생이 가야 할 길인 것이다

1976년 5월 21일 금요일

교회와 과학

무더운 오후
몸에서 푹푹
훈김이 솟구친다

더위 탓인지
자개 기술자들의 조퇴가 많다
자개 공방 규율이 잡히지 않는다

과학이란
깊이 탐구하면 할수록
깊어지는 신비로움을
감당해 낼 수 없는 것이다

교회에 나가고 싶다
조물주의 뜻을 따르고 싶다
나를 만드신 뜻을 따라 살고 싶다
주여 당신의 뜻대로 살게 하소서

1976년 5월 23일 일요일

존경받는 노인

공장에서 혼자 하던 일을 마치느라
저녁 늦게 끝났다

라디오에서 노인 문제에 대해 얘기를 한다
사람은 누구나 다 노인이 될 것인데
젊은 세대들은 노인을 경시하는 풍조가 있어
노인은 외롭고 처신하기가 힘들다는 것이다

새벽 5시 mbc 라디오에서도
노인 문제를 다루었다

존경받는 노인이 되기 위해서
젊은 세대가 하는 공부를 같이 해야 하고
젊은 세대를 이해해야 한다는 것이다

1976년 6월 7일 월요일

참 인생

어제 영도가 결근하여
가정 방문을 하고 돌아오는 길에
밭에서 일하고 있는 부부의 모습 속에서
참다운 삶의 모습을 보았다

허름한 옷을 걸치고 부부가 밭에 거름을 뿌리고
굳은 땅을 다시 파 일구어 놓는 모습을
한동안 심취되어 바라보았다

저 모습이 진정
인간 본연의 삶의 모습이고
참 인생이 아닐까?

'마르쿠스 아우렐리우스'는
"인간은 생각과 말과 행동을
이 순간 세상을 떠날 자와 같이 하라."라고 했다
최선을 다해 살라는 것이다

1976년 7월 3일 토요일

안갯속의 삶

무더위의 연속
후끈한 바람

무거운 하루를 짐을
이제 겨우 내려놓았다

순간순간 즐거움과
짜증스러움이 뒤섞이어
뭔지도 모르는 상태
이렇듯 지나는 삶

알 수 없는 장래
뿌연 안갯속처럼
막연할 뿐

1976년 7월 8일 목요일

별

유난히 밝은 별
초롱초롱한 별들을
바라보고 있노라면

우주의 신비함
인간의 무력함
존재의 미미함을
느끼게 한다

1976년 7월 26일 월요일

가을

비 개인
초가을 밤

풀숲에 숨어
가을을 부르는
풀벌레 소리

암울한 장래
아무리 생각해도
풀리지 않는 문제들

1976년 8월 27일 금요일

희망

밤비가
촉촉하게 내린다

매일매일
희망 없이 살기엔
너무 아깝다

어찌 됐든 대학을 가자
좀 더 배우자

스피노자의 말을 생각하며
희망을 가져본다

"내일 이 세상의 종말이 온다 해도
나는 한 그루의 사과나무를 심으리라"

1976년 8월 29일 일요일

하늘을 바라보며

고추잠자리는 나뭇가지에 앉아
몸을 불사르고 싶어 한다

학은 소나무가 아니면 앉지 않고
봉황은 오동나무 아니면 쉬어가지 않는다

군자(君子)는 큰길로 다닌다
마음을 크고 넓게 하고
저 하늘을 바라보고 가자

세상을 본받지 말고
주를 믿고
하나님을 경외하라

하나님께서 보내신 뜻을 알고
행하는 길을 가야 한다

1976년 9월 12일 일요일

인격향상

자개기술자 두 명이
다른 공장으로 옮기겠다고 해서
달래고 또 달래어
겨우 마음을 가라앉혀 놓았다

철없는 녀석들
다루기 힘들다

배울 것은 다 배우고
깨달을 것은 다 깨닫고
살아가야 하겠다

후회 없이 참되게 살면서
죽는 순간까지 배워야 한다
인격 향상을 위해 노력하리라

1976년 9월 17일 금요일

돌멩이

오랜 세월
깨끗한 물에 씻겨
예쁘게 태어난
돌멩이 하나를 줍는다

보석처럼
한동안 고이 간직하여
온갖 마음을 쏟는다

그러다 눈을 떠
다시 돌멩이 모습을
보고 있다

1976년 9월 19일 일요일

인생 수업

일요일이라
결근하는 기술자가 많다

기술자들의 무지함이
마음에 들지 않는다

이것 또한 인생 수업일 텐데
허무한 인생이 되지 않도록
오래 참으며
영원한 가치를 찾아 가리라

1976년 9월 26일 일요일

참는 훈련

공장에서 일이 바쁜 것도 좋지만
너무 과중한 일로
시간에 쪼들리니 힘이 든다

형편이 되지 않으니
하고 싶은 공부는 하지 못하고
마음에 없는 일만 하고 있다

세상살이의 어려움을 알기에
내 마음대로 할 수 없다
참는 훈련을 해야 한다

1976년 10월 6일 수요일

결단력 부족

목공부의 목수
월급을 미리 가불 해주었더니
자기 연장을 모두 챙겨 도망갔다
사람은 믿을 수가 없다

나의 길을 가야 할 텐데
결단력이 부족하다

야간대학이라도 가야 할 텐데
공부에 손을 못 대고 있으니
답답하다

이런 게 인생인가?
아마 이런 게 인생일 테지

1976년 10월 20일 수요일

인생은 사랑으로

오늘
참되고 성실하게
후회 없이 살았는가?

무의미하게
무감각하게
습관적으로
하루살이처럼
그저 그렇게 살았다

인생은 사랑으로
일관되어야 하는데

1976년 10월 27일 수요일

보람 있는 삶

별일도 없는 것 같은데
시간에 쫓기고 있다.
할 일은 많고 시간이 적은 게 안타깝다

주어진 시간과 환경 속에서
어떻게 인생을 살 것인가?

지금 열심히 공부하고
열심히 일하며 나름 열심히 살고 있다

좀 더 가치 있고
보람 있는 인생이 되어야 하는데

주어진 시간 활용 여하에 따라
성공 열쇠가 있고
지혜로운 인간으로
보람된 삶을 사는 길이지 않을까?

1976년 11월 4일 목요일

인생이란?

아직 인생이 무엇인지 모르지만
후회 없이 살고 싶다

나이가 들게 되면
이대로 흙이 되어 무(無)로 될 것인가?

영혼은 영원히 살 것인가?
모든 의문은 죽은 후 밝혀지리라

"인간의 상상력으로 신(神)과 모든 것을 생각해 내었다"라고
한다

"인간은 삶이 두려워 사회를 만들었고
죽음이 두려워 종교를 만들었다"라고 한다

"삶의 방향은 세상에 온갖 경험을 다 해봐도 헛것이요
모든 것은 죽으면 끝날 것이다"라고 한다

1976년 11월 13일 토요일

흐르는 물

눈코 뜰 새 없이 바쁜 공장 생활
오늘도 하루를 살았다
그리고
점점 죽어가고 있다

내 몸과 정신
모두 죽음 저편으로 가고 있다
무엇을 남기고 죽어갈 것인가?

자기 삶은
스스로 운전해야 한다

흐르는 물은
그저 즐겁게만 흘러갈까?

1976년 11월 16일 화요일

삶의 의미

오늘 하루도
삶의 의미를 상실한 채

그저 시간의 채찍질에 쫓겨
정신없이 습관대로
감정대로 살아왔다

이렇듯 시간은 흐르고
죽어가는 인생

살아도 왜 사는지 모르고
죽어도 왜 죽는지 모르는
불쌍한 짐승 같은 삶

많은 사람들이
창조주를 알려하지 않는다

1976년 11월 18일 목요일

진짜 인생은?

너무 욕심을 부리고 있는 것일까?
부지런해야 남보다 더 많이 인생을 사는 게 아닐까?
빈손으로 왔다가 빈손으로 가는 인생
게으르게 살아도 부지런하게 살아도
현명하게 살아도 어리석게 살아도
결국은 다 같지 않을까?

성경 전도서 말씀에
지식은 근심만 더할 뿐
해 아래서 행하는 모든 것은
바람을 잡는 것과 같다
조물주 하나님을 경외하는 것 외에는
모두 헛것이라 했다

조물주 하나님을 경외하면서
하나님의 뜻대로 산다면
진짜 인생이 될 것인가?

1976년 12월 3일 금요일

멋지게 살려면

인생을 멋지게 살려면
우선 건강해야 하겠다

얼굴에 화장하고
비싼 것으로 사치를 해야
멋있게 사는 것은 아니다

가난하더라도 떳떳하게
남에게 굽히지 않고
물질만을 추구하지 않는
고매한 인격과 신앙 속에 살아야 한다

한번뿐인 인생
괴롭고 팍팍하다 생각하지 말고
즐겁게 살자
독서하고
성경적인 신앙생활을 하자

　　　　　　　　　　　　　1976년 12월 5일 일요일

자기완성과 내적완성

밤새 세상은
하얗게 화장을 했다

눈발이 하늘에서 춤춘다
눈송이가 맴돈다
하늘이 빙빙 돈다

하얀 화장이 지워진 오후
길바닥은 온통 추한 모습

휴지통 같은 인생
있어야 할 것은 없고
필요 없는 것은 득실거린다

독서와 성경 읽기와 사색으로
자기완성과 내적 완성에
최선을 다하자

1976년 12월 9일 목요일

고귀한 정신의 삶

나전칠기 공장 일속에 묻혀
지나버린 시간들
이게 오늘의 삶이었다

자욱한 안갯속
뿌연 인생길
의미도 모른 채
이렇게 살면 되는 것인가?

인간은 만물의 영장다운 사고력으로
고귀한 정신을 만들려고 노력해 왔다

사람이 사는 동안 정신이 필요하지만
죽어서는 무슨 필요가 있을까?
죽으면 정신만 사는 것일까?

에라, 모르겠다.
우선은 살아있으니 살아보는 것이다

무엇을 해서 먹고살든
선하게 살면서
정신을 고귀하게 만들며 사는 것

육신은 살 껍질뿐
제아무리 사치하면서 고귀하게
만들려 해도 되지 않는다

종교도 인간이 만들었다고 해도 좋다
눈으로 보이는 것은 믿는 것이 아니다

사랑의 정신이
고귀한 정신이라 한다

시를 쓰고, 글을 쓰고, 그림을 잘 그려야만
고귀한 정신으로 멋지게 사는 것일까?

이런 것도 할 줄 알면
더욱 좋겠지만

1976년 12월 13일 월요일

나그네 인생

사는 동안
이 세상의 것을 잠시 빌려 쓰다

돌아갈 때는
빌려준 세상에게 고스란히
돌려주고 가야 한다

먹고 마시며 자란 육체
그 외의 모든 것
어느 하나도 가져갈 수 없다

많이 빌려 쓴 사람은
많이 돌려주어야 하고

적게 빌려 쓴 사람은
적게 돌려주어야 한다

1977년 1월 4일 화요일

장래 걱정

신문을 보니
56세의 공무원 과장께서
월급 13만 원 받아
대학생 자녀 둘
고등학생 한 명
중학생 한 명을 가르치시면서
빚만 쌓인다고 한다

어떻게 해야
앞으로 여유 있는
경제적 여건을 갖출 수 있을까?

어떻게 세상을 살아갈 것인가?
장래가 걱정스럽다

1977년 1월 7일 금요일

나이 많은 고등학생

스물셋
나이 많은 고등학생
우습기도 하지만
꿈을 향해
부지런히 노력하자

출석수업 중
춥고 떨리고
발도 시리다

마음잡고
정신 차리고
시간을 그냥 흘리지 말고
철저히 계획하며 살자

1977년 1월 2일 일요일

추운 교실

셋째 일요일
출석 수업

차가운 교실 의자
추위가 점점 몸을 싸고돌아
삭신을 괴롭힌다
발이 더 괴롭다

참다 보니 점심시간
제일 즐겁다

1977년 1월 16일 일요일

인생을 인생답게

별로 추운 날씨 같지도 않은데
저항력이 약해졌는지
몸이 자꾸 추워온다

오후에
몸을 가눌 수 없어
약국 가서 약 지어먹고
하루를 견디며 살았다

흐르는 시간 속에
사라져 간 인생들

인생을 인생답게 사는 방법은
자연과 우주의 섭리와
진리를 아는 것

1977년 1월 19일 수요일

어려워도 희망을

아침에 눈이 내리더니
찬바람이 세차게 몰아친다

가구점으로 점심 배달 가는
자전거의 속력에 온몸이
바람의 저항을 받는다

감기 증상이 더욱 심하다
약을 먹어도 그렇다
과로 때문일까?

가슴을 펴라
눈을 떠라
아름다운 세상이 나를 기다린다

확 트인 앞날이 나를 기다린다
어려워도 희망을 갖자

1977년 1월 21일 금요일

진정한 힘은?

과연 어떤 인생이
보람될 것인가?

어떤 일로
정진할 것인가?

육체 힘이 세다고
힘 있는 게 아니다

진정한 힘은
지혜에 있다

1977년 2월 6일 일요일

지성인과 신앙인

사는 동안
건강하고
실력 있는 인간으로

지성인으로
신앙인으로
살아야 한다

비록 외모는 추하지만
내면의 세계만큼은

가장 아름답고
고귀한 정신으로
가꾸어야 한다

1977년 2월 13일 일요일

젊음이 있기에

공장에서 일을 하지 않으면 안 되고
꿈을 위해 공부를 안 할 수도 없으니

한 포수가
두 마리 토끼를 쫓는 격

시작은 청춘에 있다
청춘시절에 해야 할 일은
일생의 계획을 세우는 것

아직 젊음이 있기에
무한한 가능성이 있다

근면, 성실, 노력으로만
해결 수 있다

1977년 2월 15일 화요일

이름 없는 돌멩이

아름다운 사람을 본다는 것은
아름다운 자연을 보는 것보다
얼마나 신나는 일일까?

남들에게
기쁨을 줄 수 있도록
최선을 다하는 삶

부와 권력과 지식이 없음에도
인간의 고귀한 가치를 잃지 않는

이름 없는 돌멩이 찾는
여행을 하고 싶다

1977년 2월 25일 금요일

이상과 현실

여유 없는
팍팍한 생활
이상과 현실

지금 처한 환경과의 간격
걱정스러운 장래
정말 어렵다

밤에 '김형석 에세이'를 읽었다
오랜만에 진지한 독서를 하니
즐거운 반면
고민이 뒤 따른다

1977년 2월 27일 일요일

도전

대학입시에 전념할 수 없을까?
한번 해보고 싶다

전문 지식과 기술이 필요하다
모두에게 좋은 환경이 주어진다면
어떻게 위대한 사람이 나올 것인가?

그대로 되어 지기를
바랄 것이 아니라
한번 도전해보는 것이다

하고자 하는 노력
이것만이 필요하다

기어이 해내야만 한다

1977년 3월 7일 월요일

비상(飛上)

공장에서 일을 하긴 해도
공부 생각으로
일할 의욕이 없다

대학을 목표로 달리고 싶을 뿐
공부에만 전념해도 어려운데
형편상 가로막는
여러 장애물들

그런 꿈도 없이
이대로 썩기엔
너무 괴로운 인생

이대로 주저앉을 수 없다
더 높은 곳을 향하여

1977년 4월 4일 월요일

역행의 괴로움

무능하게 희망도 없는 고목(古木)처럼
멍하니 위만 바라보고 살기엔
내 청춘과 인생이 아까워 괴롭고

공부하는 길로 가려니
장애물이 많다

순행의 편함과 역행의 괴로움
하고 싶은 것을 못한다는 괴로움보다
내 뜻과 관계없이 살고 있다는 것이
더 괴롭다

아득히 보이는 저 편
아픈 머릿속
덮쳐오는 졸음이
행복하다

1977년 4월 13일 수요일

인간의 존엄성

엊그제 화순 너릿재 교통사고
단 몇 분 후 어찌 될 줄도 모르는 인간들
욕을 먹고 아귀다툼하며 살려한다

인간의 생명이 초개(草芥)처럼
사라져 가는 세상

불안과 허탈감
인간의 존엄성은?

"인간은 힘없는 하나의 흔들리는 갈대
그러나 생각할 줄 아는 갈대"라는
파스칼의 명언을 되뇌여 본다

                              1977년 5월 4일 수요일

후회 없는 삶

며칠 전 상준이가 자살을 했다
자세히 알 수 없지만
너무도 허망하다
물거품 같은 인생

기왕 죽을 바엔
생명 다하는 날까지
후회 없이 살아보는 것이
좋지 않았을까?

우리는 무(無)의 세계에서
유(有)의 세계로 온 것 아닐까?

인간은 무(無)에서 와서
다시 무(無)로 돌아가는 것일까?

1977년 5월 7일 토요일

자신을 돌아보며

인생을 알기 전에 인생은 가고
죽음을 알기 전에 숨을 거둔 인생들

죽음은
정신과 육신이 수명이 다하는 날
가는 것

삶의 고통과 생존 욕망으로
자신을 망각한 가운데
하루를 살아간다

이렇듯 넘어가는 하루하루
남긴 것은 무엇인가?

저들과 같은 인생
무엇이 나으며 무엇이 못한가?

1977년 5월 9일 월요일

불교와 기독교

불교는 자기 수양을 통해서
인간도 신이 될 수 있다는 말씀이다

수양의 방법에는
자비의 마음을 가지고
모든 생명을 중하게 여겨
자비를 베풀어라 하는 것이다

기독교는
절대자 하나님을 믿고 섬기며 살면서
피조물로서의 인간의 사명을 다하는 것이다

수양의 방법에는
사랑의 마음으로
먼저 창조주 하나님을 사랑하고
인간을 사랑하며
이웃을 사랑하라 하는 것이다

1977년 5월 25일 수요일

순간의 괴로움을

새벽 5시 30분 기상
통신고등학교 방송 강의
녹음해놓고 단과 학원으로 달려갔다.

정신이 아직 얼떨떨하지만
그래도 강의를 들었다

밤 시간에 학원을 가려했지만
야근 때문에 갈 수가 없다

지금 공부하지 않으면
평생 더 많은 날
고통이 될 것이다

앞으로 많은 날의 괴로움보다
순간의 괴로움을 택하는 게
현명하리라

1977년 6월 3일 금요일

자연과 젊음

금가루처럼 뿌려져
밤하늘에 가득 붙어
반짝거리는 별들

영원한 우주의 신비
인생의 유한함
우주는 영원할까?
지구는 영원할 수 없는 것인가?

짧은 젊음을 바칠 곳
불과 60년의 인생

주어진 일을 하면서
사색을 하자

1977년 7월 22일 금요일

자연과 계절

대서(大暑)
1년 중 가장 덥다는 날

하늘과 땅
위아래가 따뜻하니
길바닥이 후끈 달아올라
온몸이 금방 후끈거린다

간간이 부는 시원한 바람에
2층 공방에서 일하며 더위를 견딘다

모든 생명을 이어가는
자연의 사계절

머지않아 찬바람이 불고
가을이 오겠지

1977년 7월 23일 토요일

후회 없는 추억

무더위 속에
하루를 견디며 살아냈다
귀한 살점이 한 점씩
떨어져 나가고 있다

젊은 날
깨끗한 영혼을 위해 싸운다면
훗날 후회 없는 추억이 될 것이다

피조물 인간들
그들은 각각 어떻게 살고 있을까?

무엇을 위해 태어났으며
무엇을 위해 살다가 죽는가?

모든 감정을 깨끗이 씻어내고
진정한 자신을 바라보자

1977년 7월 26일 화요일

새벽 빗속의 광남로

새벽
독서실 창문 밖
칠흑 같은 사방

쏟아지는 빗소리
검은 하늘을 휘도는 천둥소리
창문을 흔드는 바람소리
줄지은 광남로 가로등 불빛

세차게 부는 바람에 날리며
파도처럼 밀려가는 빗줄기

한참 바라보니
정신이 맑아진다.

1977년 8월 8일 월요일

계절의 변화

제법 서늘해져
묻어 다가오는
가을 냄새

계절이
코와 마음에 들어와
여러 기분을
만들어 낸다.

살다 보면
시간이 가고
계절도 가고
이렇게 세월이 가나 보다

1977년 8월 24일 수요일

연어의 몸부림

나전칠기 기술자의 암담한 장래
나라에서 억제하는 사치품

무언가 잘못되어 있는 듯
모든 것에 자신이 없다

역류하는 인생의
거센 물살을 거스르며

헤쳐 가야만 하는
연어의 몸부림

1977년 9월 1일 목요일

권태

온몸으로 스며드는
가을 냄새

희망 없는 나전칠기
권태증일까?

정신적 피로감
권태의 뒤섞임

온몸이 힘이 빠져
푹 쉬었으면 좋겠다

능력을 최대한 발휘할
정신 상태가 중요하다

1977년 9월 6일 화요일

호연지기

인생을 어떤 자세로 살아갈 것인가?

땅을 굽어 거리낌이 없고
하늘을 우러러
부끄러움 없는
호연지기 생활

물질에 대한 욕망으로
마음이 동요되어
안정을 잃고
괴로움에 젖었다

물욕은 죄악의 근원이라고 했던
옛 성현의 명언이 귓전을 울린다

1977년 9월 8일 목요일

가을 노래

가을 냄새
가을 햇살
가을이 온다

가을꽃이 핀다
가을비가 온다
가을바람이 분다

하나 둘
떨어지는 가을 잎

깊어가는 가을밤
숨어우는 가을벌레

눈으로
가을 잠이 들어온다

1977년 9월 9일 금요일

코피

새벽 비에
바람이 싸늘해진다

아침에 일어나니
코 속과 입 속에
피가 가득 들어 있다

뱉어내고 보니
벽에도 피가 묻어 있다

밤새
코에서 피 나는 줄 모르고
잠을 잤나 보다

그동안 바빴던 공장일
오늘로써 한 시름 덜었다

1977년 10월 7일 금요일

가을 냄새

출석 수업
광주고등학교 화단
한창 만발한 가을꽃들
가을 냄새를 물씬 풍긴다

운동장 주변
나무 밑에 깔린 낙엽
이리저리 바람에 휩쓸린다

예비고사까지 남은 시간
앞으로 31일

어떻게 해야 할지
조급해진다

1977년 10월 9일 일요일

위안

악(惡)은
즐거움 속에 괴로움이 있지만

선(善)에는
괴로움 속에
즐거움이 깃들어 있다고 한다

비관스럽고
암담한 현실

그래도
더 불행한 사람도 많다고
스스로 위안을 해본다

1977년 10월 24일 월요일

인생 운전

어느덧 10월 마지막 날
이루어 놓은 것도 없이
세월만 가고 있다

세차게 흐르는 강물을 거슬러
온갖 장애물을 넘는 연어처럼
내 인생은 내가 운전해야만 한다

물 흐르는 대로
삶을 맡긴다면 편하겠지만

가는 곳이 어떤 곳인지도 모르고
어디에 운반해 놓을지 알 수 없다

사는 게 너무 불공평하다
지금 누구를 위하여
종을 울리고 있나?

1977년 10월 31일 월요일

생존 본능

하루하루
무질서하게 계획도 없이
바쁘게 허덕거리고
방황하며 살고 있다

확고한 인생관 속에 살아야
질서가 잡힐 텐데

막연한 삶의 욕망이
인간을 살게 하고 있는지 모른다

삶에 좀 더 큰 의미를 부여하며
살고 싶다

1977년 12월 12일 월요일

선한 싸움

입고 먹고 거주하는
생활을 위해
열심히 살고 있다

이런 걱정 없이 살면
훨씬 가치 있게 살 수 있지 않을까?

성경 말씀에
먹고 입고 사는 걱정을 하지 말라고 하셨다
가만히 앉아 놀고 있으라는 말씀은 아니리라

힘을 다하여 일하고
하나님을 경외하고
주님을 믿는 인생이 되라는 말씀이리라
선한 싸움을 계속하라는 것이리라

1977년 12월 18일 일요일

신망(信望)

재산이라는 것은
성실과 근면과 슬기로 노력하여
얻은 결과이어야만 떳떳할 것이고
죽으면서 그 돈을 세상에 내놓아도
빛을 볼 것 아닌가?

남을 속여 도둑질하여 모은 재산이
과연 떳떳할 수 있을까?

성실하자
근면하자
신용을 지키자
정직하자

모든 사람으로 하여금
신망(信望)을 얻어야 한다

1978년 1월 28일 토요일

역경

차가운 바람에
따뜻한 햇살이 견디지 못한다

현재 환경이 바뀌지 않는 한
이 역경을 이겨낼 자신이 서지 않는다
마음만 더 무거워져 가고 있다

가난하게 사는 것은
조금 불편할 뿐이지
결코 부끄러운 것은 아니다

방송통신대학에서 날아온 접수증
접수번호 10090번

1978년 2월 16일 목요일

방송고 졸업식

3년 동안 쉽지 않은 상황 속에
뒤늦은 방송통신고등학교 공부
보람을 느끼는 날

광주고등학교 홍익관 졸업식장
엄숙한 분위기 속에
국민교육현장 낭독
맨 뒤에 조용히 서서 졸업식을 마쳤다

세 번의
봄, 여름, 가을, 겨울을
동고동락했던 학우들

훗날 추억을 위해
교정에서 함께 사진 촬영
3년간 대단원의 막을 내렸다

1978년 2월 19일 일요일

사막의 방랑자

창자를 토해내듯
발산하는 검붉은 태양 빛
신기루에 홀린
어리석은 시야

내 눈빛에 어스름하게
먼지로 그려진 신기루

가느다란 바람 끝에 스러지고
사막에 내리는 빗방울
방울마다 묻어 사라진다

사라짐의 원망을 잊고
자, 이제 가자
사막을 떠나자
오아시스를 향해

1978년 6월 25일 일요일

젊음

젊음을 가꾸면서
젊어서 꼭 해야 할 일을
찾아야 한다

아직 젊음이 있기에
젊음을 충분히
향유하고 싶다

젊은 시절을
나전칠기 공장 일에
얽매이고 싶지 않다

1978년 6월 27일 화요일

영원한 세계를 찾아

6월 한 달을
덧없이 보내고 있다

남은 인생도 이렇게
덧없이 보내겠지?

마음을 다시 가다듬자
인생은 이런 게 아닐 텐데

뭔가 남겨놓고 갈 수 있는
삶이 되어야 할 텐데

영생 복락을 누릴
영원한 세계를
찾아야 한다

1978년 6월 30일 금요일

저 높은 곳을 향하여

세상일에 얽매여 꼼짝할 수 없으니
이것도 괴로운 것

오늘의 괴로움을
내일의 소망으로 이기고 있다

세상의 괴로움을
저 높은 곳을 향한
하늘의 소망으로
이겨 나가는 나날들

성서적인 삶과 세상적인 삶을
조화시키지 못하며 살고 있다.

이들을 잘 조화시켜야만
아름답고 후회 없는 삶을
누릴 수 있을 텐데

1978년 7월 11일 화요일

선한 영혼을 위해

이 세상에서
저 세상으로
이사하게 될 때

삶에 대한
애착과 미련을 버리고
평온한 마음으로
거처에 미련을 두지 않는 생활

영원한 거처에서
새로운 영혼의 탄생을
소망해야 할 것이다

젊은 시절을
선한 영혼을 위해
싸우기를 기도한다

1978년 7월 14일 금요일

젊은 날의 고민들

먹구름처럼 번져오는
원인 모를 불안들

푸르렀던 이파리
찬바람이 가을을 재촉하니
퇴색된 몸을 파르르 떨 때
삶의 무상함에 조여 오는 가슴

공들여 쌓아 왔던 지난 순간들이
사막의 신기루처럼
일시에 무너져 내리는 쓰라림에
몸부림쳐야 했던 시간들

형체도 없이
그저 흐트러진 모습 그대로
나를 불안하게 하는 것들

까닭 없는 불안 속에

헤매어야만 하는
젊은 시절

이 모두가 성장의
밑거름이 되리라고
스스로 위안 삼아 본다

건강하고 선하게 살아가면
모두 해소되지 않을까?

무엇보다 삶을 긍정할 수 있는 인생관
내 주어진 환경에서
삶을 즐길 수 있는 건강과 재산
성서에 입각한 경건한 삶이
중요하지 않을까?

지금 할 일이 무엇인가?
다시 한번 확인해 본다.
나전칠기 일을 계속할 것인지?
다른 직장을 선택할 것인지?
도저히 알 수가 없는

암울하고 어두운 앞 길
우선 현실에 충실하고
열심히 일하면서
열심히 공부하는 길밖에

그러나 중요한 것 하나는
열심히 주님을 섬기는 생활

결국 삶이란 돌아가는 길
세상은 잠시 머무는 여인숙 같은 곳
이곳에 집착할 필요가 있을까?

죽으면 다음 세상이 있을지
지금은 알 수 없지만
없다고 믿는 것보다
있다고 믿고 사는 것이
더 현명할 것 같다

이제야 마음이 한결 가볍다

1978년 9월 19일 화요일

욕망이라는 전차

욕망 채우기에 바쁜 사람들
욕망이라는 전차

정(情)과 도덕은 이미 퇴색된
물욕의 노예들

그 속 갇혀 괴로워하고
실망도 하고 웃기도 한다

부족한 믿음이기에
괴로움 속에서 헤매 일 뿐

그러나 두렵지 않다
젊음이 있기에
웃으면서 걷자

1978년 10월 10일 화요일

아직 쉴 때가 아니다

무심히 바라본 창 너머
벌거벗은 무화과나무
우거진 포도나무

마당에 어지러이 흐트러져
흉하게 퇴색되어
애처로운 마른 잎들

이미 다 한 생명이지만
한때 푸르른 잎으로 햇빛을 가리었고
부는 바람을 멈추었건만

벌거벗은 나무는
새 잎을 준비하는지

모든 옷을 다 벗고
앙상한 본연의 모습을 들추어낸다

신음하듯 스치는 바람소리
괴로운 울림

아직 쉴 때가 아니다
숨을 한 번 더 몰아쉬고
조금 더 걸어가자

저곳은 쉴 곳이 있고
즐거움이 있다

좌절하지 말고
한 번 더 목표를 바라보자
이제 얼마 남지 않았다

주어진 능력과 환경에서
최선을 다하는 슬기로움
최선을 다한 다음에는 후회가 없다

1978년 11월 15일 수요일

내 삶에도 가을이

이제 내 연극의 막이 내려가고
다른 소재의 막이 올라야 할 것 같다

나전칠기를 폐업하려 하신다
나전칠기 공장 생활이
계속되어서도 안 되고
계속되리라고 믿지도 원하지도 않았지만
마음이 암담하고 어렵다

아담과 이브의 옷처럼
볼품없는 참 나를 가리기 위해
꽃을 피우고 잎을 내고
열매를 맺었지만

향기롭고 화려했던 꽃과
무성한 위풍의 옷들이 모두 벗겨진
앙상한 모습을 드러내 보이고 있다.

1978년 11월 16일 목요일

태양의 언어

모처럼 햇살이 눈부시다
일하다 말고 밖으로 나와
차갑고 맑은 공기를 들이켜려
숨을 몰아쉬며 머리를 들어
눈 감은 채 태양을 바라보니
눈언저리에 따뜻한 햇살이
얼굴을 보듬어준다

간혹 스치는 바람
서늘함에
순간 다가오는 미묘한 희열

태양이 말한다
선한 생각으로 즐겁고 힘차게
생활을 창조하며 살아야 하지 않겠는가?

우리가 사는 모습을
저 위에서 내려다보자

선하고 참된

인간의 존엄성

정신적 아름다운 자유는

움직이는 기계 속에 묵살되어

물욕의 노예가 된 지 오래

고독과 허탈감을

유흥과 향락으로 메꿔버린

사람들의 삶

1978년 11월 17일 금요일

삶의 맛과 멋

너무 여유 없이 살고 있다
여유가 없으면 생활의 맛과 멋이 없고
큰일을 이루지 못한다고 하는데

제각기 삶이 다르기 때문에
자기 주어진 환경에서
충실하게 최선을 다하는 것

숲 속의 나무는
나무대로 삶이 있고
바닷속의 물고기는
그대로의 삶이 있는 것이니까

땅의 짐승이 공중의 새가 못됨을
한탄하며 세월 보내느니

자기 삶에 충실하는 길이
진실한 삶이지 않을까?

1978년 12월 27일 수요일

한해의 반성

밤에는 또 야근
1978년도 남은 시간은 내일뿐

올 한 해
열심히 산 것 같은데
눈에 보이지 않은 성과

시행착오도 많은 나날들
일면에 충실하면
다른 면에 소홀할 수밖에 없었던 시간들
경험도 많이 얻었다

계획대로 이루지는 못했지만
그래도 열심히 살았다

1978년 12월 30일 토요일

상상의 날개

의미를 먹고사는 인간들
모든 생각과 말과 행동에
의미를 부여하며 살고 있다

이상적인 직업은
많은 수입과 사회적 권위가
함께 주어지는 직업
지성인으로서 대우와 보장받을 수 있는 직업
넓게는 세계의 질서와 평화를 위해
국가와 민족의 무궁한 발전과 번영을 위해
작으나마 이바지할 수 있는 직업
이처럼 상상의 날개만 퍼덕거리고 있다

망설일 바엔 실패를 택하라는
러셀의 말이 들려오지만
순간순간 신중을 기하지 않으면
만사를 그르칠 우려가 있다

1979년 1월 2일 화요일

미련

벌써 2월
나전칠기 공장 폐업

어떻게 받아들여야 할지
앞으로 어떻게 살아야 할지

내가 복잡하게 만드는 건지
복잡한 가운데
내가 서 있는 건지

대학진학 미련을 버리지 못하여
지금 꿈속을 헤매고 있는 건지
알 수 없다

지금 내 머리로는 알 수 없고
오직 시간만이 말해주리라

1979년 2월 1일 목요일

성취욕망

삶이란
덧없이 흐르는 것
왜 삶에 고민하나?

하나님께서
열심히 일하는 자녀에게
재물을 허락하신다고 하셨는데
이건 소인의 헛된 욕심에서 일까?

많은 욕심 때문에
많은 고민을 하는 건가?
성취 욕망은 삶의 원동력이 아닐까?

직업 선택의 고민
하나님께서 부여하신 직업은?

1979년 2월 5일 월요일

대입 결심

나이도 많고
가진 것 도 없고
할 수도 없는 이 처지에
대학입시 결심이 옳은 것인지?

비현실적인 생각일까?
판단하기가 어렵다
그러나 한번 해보고 싶다

모든 것을 걸고
한번 해보고 싶다

지금까지 공부에
최선을 다해보지 못했다

최선을 다해보고
결정을 하자

1979년 2월 12일 월요일

젊어서 공부를

자기가 세운 뜻에
최선을 다해
성취하는 것이 삶이리라

최선을 다한 다음에는
후회는 없다

돈은 나이 들어도 벌 수 있지만
공부는 젊어서 해야 한다

1979년 2월 13일 화요일

스물다섯

내년에 대학 입학을 해도
졸업하기까지 4년

지금 스물다섯
졸업하면
나이가 서른

늦은 나이에
무슨 일을 어떻게 할 수 있을까?

1979년 2월 25일 일요일

목숨을 건 투쟁

아침부터 바람이 세차게 불더니
오후엔 때 아닌 눈이 퍼붓는다.
대입학원에 가서 종합반 등록을 했다

이제 길을 확정하니
마음은 훨씬 편하다

공부 기초가 없어
따라갈 수 있을지 의문이지만
한번 부딪혀 보는 거다

무모한 도전이지만
더 이상 물러설 곳이 없다

이제는 목숨을 건
투쟁을 해야 한다

1979년 2월 27일 화요일

헛짓일까?

아침 일찍 기술자들에게 일을 지시해 놓고
학원으로 가는 발걸음
밤늦게 지친 몸으로 돌아오는 발걸음
마냥 무겁기만 하다

하루 종일 탁한 공기 속
교실에서 12시간의 정신노동
그것은 견딜 수 있지만
주변의 심한 반대는 견디기 어렵다

정말 헛짓거리를 하고 있는 것일까?
과연 옳은 일을 하고 있는 것인지?
이런 불안 속에서 무슨 공부가 될까?
과연 내가 해낼 수 있을까?

앞으로 남은 많은 날들을
어떻게 버텨낼까?

1979년 3월 13일 화요일

재수 아닌 죄수

학원으로 출근하는 발걸음이 무겁다.
학원에서의 하루 생활
마치 감옥생활
재수 아닌 죄수가 된 기분

오랫동안 게을러지고 무디어진 머리
12시간 정신노동을 해야 하니
머리도 종일 묵직하다
감기는 나가려는 마음도 안 먹는다

먼 훗날
좀 더 나은 생활을 위해
당장은 괴롭고 힘들더라도
참고 견디는 수밖에
이 길로 가야만 한다

1979년 3월 14일 수요일

마지막 투쟁

내 처지에 공부가
허욕이며 과욕일까?

온갖 반대를 무릅쓰고
혼자서 뭔가 해보겠다고
이 야단이니

이제 와서
중단할 수 없는 일

학업을 위한 투쟁이
이토록 어려울까?

가다가 지쳐 쓰러지더라도
가는 데까지
배짱으로 밀고 가보자

1979년 4월 13일 금요일

생명의 경외

지구상의 모든 생명체는 어떻게 얻었든
부여받은 생명으로 살아가고 있다
선택된 생명이라 하는 편이 좋으리라

삶의 아름다움은
이루 다 말할 수가 있을까?
살아보지 않으면 모르리라

미물들은
생명의 경외를 느끼지 못하지만
생명의 귀중함은
모두 본능적으로 느끼리라

정도의 차이는 있지만
삶 자체의 회의(懷疑)와 함께
선택받은 인간이기에
삶의 목표를 품고 산다

사람은 주어진 삶의 가치 추구와
가치 실현의 욕구를 느끼며 산다

이러한 가치관으로 볼 때
펼쳐져 있는 세상과
자연의 오묘한 섭리에 대해 놀라움과
삶의 유한성과 인간의 무능력으로 인해
두려움을 느낀다.

생로병사의 고민을 헤어나지 못한 것은
너무 처절한 고통인 것이다

이 영역은 하나님의 섭리이리라 여기지만
그래도 인간의 힘으로 할 수 있는 한
이러한 고통을 조금이라도 덜어줄 수 있다면
보람되지 않을까?

하나님이 노하실까?

1979년 4월 13일 금요일

폭풍 속 파도

겉으로 볼 때
매일 단조로운 생활이지만
마음속에 일어나는 심경의 변화는
폭풍 속 파도처럼 일렁이고 있다

애초부터 잘못된 인생이기에
어쩔 수 없다고
스스로 위로해 보지만
그래도 인간이기에

기왕 내디딘 걸음
이젠 돌릴 수가 없다

고학을 해서라도
악착같이 해야 한다

1979년 4월 20일 금요일

학업 투쟁

과연 공부를 계속할 수 있을까?
주변에서 공부를 못하게 막고 있다

앞으로 어떤 고난이 닥쳐올지
알 수 없어
매우 불안하다

그래도
3년 고생해서
30년을 보람되게 살기 위해
계속해야만 한다

올해 안 되면 내년까지
그래도 안 되면
그다음까지도

1979년 4월 29일 일요일

하나님을 섬기며

좀 더 나은 인간으로 살기 위해
몸부림치며 살다
죽을 수밖에 없지만

사는 순간까지
최선의 노력으로

하나님을 섬기며
열심히 사는 것이다

1979년 5월 2일 수요일

창공을 바라보며

공부를 계속할 수 있을지
앞일이 매우 불안하다

계속해야만 하는 공부
괴로운 투쟁을 예상해야만 하는 현실

낮에는 파란 하늘을 바라보며
밤에는 밤하늘을 바라보며
하나님의 전능하심을 마음에 새긴다

우주 속의 한 점인 이 세상
하나님의 형상인 인간이
잠시 살다 돌아갈 그날까지
하나님의 뜻을 실현시킬 도장이다

인생관, 국가관, 인간관, 직업관, 세계관,
우주관, 윤리관을 확실히 해야 한다

1979년 5월 5일 토요일

10원짜리 동전 몇 개

오후에 학원수업 끝나고
너무 배가 고파 몸이 걱정되어
호주머리를 뒤져보니 10원짜리 동전 몇 개뿐
여기저기 뒤져봐도 별 수 없다

암담하다
용돈도 궁하고 공부는 해야겠고
돈을 벌자니 말도 안 되고
공부를 하자니 돈이 없고

다음 달 학원비
17,500원을 어디서 구할까?

이 꼴에 자존심은 있어 가지고
남에게 신세 지기는 싫다
여하튼 재미있는 삶이다

1979년 5월 18일 금요일

난감

책도 몇 권 필요하고
약간의 용돈이 필요한데

모아놓은 돈은 없고
벌어놓은 돈도 없고
돈을 달라고 할 수는 없고

그렇다고 공부를 중단할 수도 없고
돈 한 푼 생길 길이라고는 없으니
난감하다

1979년 5월 31일 목요일

맨주먹으로 대학을

뒷바라지해주지 않는 공부
계속할 수 있을까?
마음이 어지러워진다

중단할 수는 없고
그렇다고 계속할 수도 없는 형편

어찌 되었든 맨주먹으로
대학을 나와 보자

이래도 팍팍하고
저래도 괴로운 삶이니
하고 싶은 대로 살자

한 번뿐인 인생
열심히 후회 없이
멋지게 살자

1979년 6월 6일 수요일

최후 순간까지

과연 지금 잘하고 있는 것일까?
괜히 공부한답시고
여러 사람을 괴롭히고 있는 것인가?

온갖 잡념 속에 휘말려
헤어나질 못하고 있다

이미 벌어진 일
다시 주워 담기는 어려운 상황

최후의 순간까지 최선을 다하자
만사는 배우는 것보다
익숙해져야 한다

지금 꼭 해내야 만
나이 들어 더 나은 삶을
살 수 있으리라

1979년 6월 21일 목요일

각오

늦은 나이에 공부하는 것을
못마땅하게 여기지 말고
지켜봐 줄 수는 없을까?

이제 와서
다시 나전칠기 일하며
주저앉을 수 없다
기어이 이루어 보리라

주님께 모든 것을 바치기로
다짐하고 살고 있어도
세상을 살다 보면
내 욕망대로만 살고 있다

교회 가서 회개하고
정신을 가다듬었다
열심히 기도하고 성경도 보리라

1979년 6월 24일 일요일

귀한 스승

밤 12시
자정이 넘어가고 있다
학원에서 돌아와 밥 먹을 생각도 없이
씻고 일기를 쓰고 있다

주변 눈총 받아가며
강행한 공부 결과가 엉망이다
한심하고 어처구니없다
이래 가지고 대학을 갈 수 있을까?

답답한 마음을 학원생들과 얘기하던 중
어떤 재수생과 말이 통하게 되어 얘기를 나누었다
그 재수생도 자기의 처지를 풀어놓기 시작하는데
정말 기가 막힌다

어려서부터 완도에서 올라와
하숙하면서 겪은 얘기를 해주는데
정말 저런 인생도 있구나 싶어진다

하숙집에서 눈치 보면서 생활하던 얘기며
돈이 없어 쪼들리던 얘기들을 털어놓는다

이 친구는 오늘도 용돈이 없어
승차권을 사지 못해
도청에서 광천동까지 걸어가고 있다

가정에서 아무리 나쁘게 대해준다 해도
그것이 혼자 고생하는 것보다
더 행복하다고 한다
정말 귀한 스승을 만난 기분이다

주님께서
있는 바를 족한 줄로 알라고 하셨으니
실천을 해보자

1979년 6월 29일 금요일

최선

학원과 독서실을
왕래하는 생활

불규칙적인 생활
몹시 초조하고
불안스러운 나날

최선을 다하려는 마음이지만
건강은 갈수록
약해져 가고 있다

정말 엉망이다
이게 사람 사는 생활일까?

1979년 8월 18일 토요일

그날까지

요즘 사설 독서실에서
밤에 잠을 자면서 공부하고 있다

갈수록 공부는 어렵고
몸은 지쳐 가누지 못하겠고
한마디로 정신이 없다
어디서부터 손을 써야 할지
몹시 불안하다

이러한 고통은 고통도 아니다
만일 뜻대로 되지 않는다면?
생각만 해도 끔찍하다

괜히 나약해지지 말자
최선을 다해보자
그날까지

1979년 8월 25일 토요일

알을 깨고 나와

아침에 무심코 공장 위층을 올라가 보니
자개 공방이 깨끗하다
아무래도 심상치 않아
자개 일하던 종원이에게 달려가
얘기를 들어 본 즉 예감이 맞았다
자개 공방을 모두 정리해 버렸다는 것이다

나전칠기 공장을 그만하겠다고
형님이 입버릇처럼 수없이 했던 말이지만
막상 이렇게 끝내고 보니 허망하다

이젠 알을 깨고 나와서
스스로 살아가라는 의미이다

그동안 10년간 공장에 몸담아 오면서
온갖 궂은일 다 겪으면서
나전칠기 일을 배우던 기억

야간중학교 졸업하면서부터
나전칠기 기술을 모두 익히기까지 겪었던 일

공장 책임을 맡아 운영하며
종업원들을 통솔했던 일

공장이 한 달에 두 번씩 쉬는 일요일 날
방송통신고등학교 다니면서
공장 운영에 나름 최선을 다하려 했던 일
지나간 상념들이 파노라마처럼 스쳐 지나간다

더 큰 포부를 품고 살려하니
이렇게 되고 말았다

며칠 남지도 않은 예비고사
갈수록 어려운 공부
마음대로 되지 않는 상황

괴롭기 짝이 없는 복잡한 심정
착잡한 심정을 지울 수 없다

1979년 9월 1일 토요일

후회

수험생활로 일관된 생활
엊그제 본 시험의 상처
기대 이하의 측정치
몹시 불안하다

공부는 몇 개월 전에 시작했는데
아무래도 공부 방법을
바꿔야 할 것 같다

만일 이러다 계획대로 안 된다면
정말 괴로운 일이다
아니, 끔찍한 일이다

모든 난관과 시행착오 속에서
괜히 시작했나 싶어
후회가 밀려온다

1979년 9월 28일 금요일

무위도식

일기장을 펴본 지 꼭 한 달째다
지난달 28일이 마지막 장이 되어 있다
그동안 내가 어디서 무엇을 하며
어떻게 살았는지 새삼 되새겨 보아 진다

지난 10월 5일 추석을 계기로
형님은 나전칠기 공장을 완전히
폐업해버렸다

내가 공부 하려고
공장 운영에 소홀한 것이
원인이었을 것이다

그동안 다니던 학원 그만두고
집 근처 사설 독서실에 공부 터를 정하고
식사만 하러 집에 왔다 갔다 하는
그야말로 무위도식 그대로다

아무래도 주위 사람들의 눈총을
의식하지 않을 수 없다

그때마다 위축되어야만 하는
자신이 너무 초라하여
미래의 나 자신을 환상 속에 떠올려
그 초라한 모습을 가려야만 했다

지금 더욱 허탈감만 남는 것은 어찌 된 일일까?
며칠 남지 않는 예비고사
최선을 다해보자

비록 재주가 무디어
뼈를 깎아내는 고통 속에 닦은 실력이
흡족하지는 못하지만

지금 처한 환경에서
내 힘으로는 더 이상 할 수 없을 만큼
최선을 다 했다고 말할 수 있다

1979년 10월 27일 토요일

예비고사

실전의 날
독서실에서 자고 새벽에 잠이 깬 채 그대로 누워
불안과 초조로 온갖 상념 속을 헤매다가
눈을 돌려 독서실 창밖을 보니
아직도 하루의 막은 열리지 않았다

연극배우처럼
오늘은 예비고사라는 제목의 연극을 해야 한다
이날은 해마다 추웠는데
밖은 어떨지 모르겠다

이 하루를 위해 그동안 휘몰아쳤던
눈보라의 시간들을 잘도 견디어 내었다

온갖 방해 속에 몇 번이나 포기하려다
다시 시작하곤 했다
이러한 와중에 공부 기초가 없어
중학교 실력도 제대로 되지 않음에도

대학 입시에 도전하는 무모함이
너무 힘겨운 투쟁이었다

하지만 내 수준과 처지에서
성의껏 최선을 다 했다고
자신 있게 말할 수 있다

너무 준비가 안 되어 있고
공부 정리가 제대로 되지 않는 상태에서
시험을 치르려야 하니 답답하고 불안한 마음이다
심지어 자신에 대한 불신감과 혐오감마저 휩싸고 돈다
이젠 시간을 역행할 수도 없는 일
밀려오는 저 거대한 파도를
어떻게 헤쳐 넘어갈 것인가?

이런 상념 속에 헤어나지 못하고 있는데
옆에 누워 있는 학생이 몸을 일으킨다.
학생도 잔뜩 초조한 느낌이다
어젯밤 독서실 주인아저씨가
시험 잘 보라고
엿을 한 바가지 가져와 주셨다

독서실 창 밖에는
비로소 희미하게 막이 열리기 시작한다
이제 세상의 모든 배우들이
자기 맡은 연극을 해야 하는 시간이다

책상 앞에 앉아 책을 들여다보려니
선뜻 마음이 내키지 않고
괜한 불안감만 앞선다
의자에 앉아 있다가
방바닥에 앉아 있다가
또다시 의자에 걸터앉았다가 하면서
여느 때보다 일찍 7시쯤 집에 와서
아침을 먹고 준비를 했다

무거운 마음을 가지고 집을 나섰으나
시간이 조금 남아 독서실로 가서
잠시 책을 들여다보고
책을 챙겨 출발했다

예비고사 시험 날은 매년 추웠는데
오늘만은 춥지 않고 마치 좋다

충장중학교 시험장에 도착하니
다행히 별로 늦지는 않았다

첫 시간과 둘째 시간은
그런대로 보통 이상으로 본 듯한 예감이 든다
시험 시간에 너무 긴장해서인지
가슴이 답답하다

오후 시험은 완전히 실패한 느낌이다
내가 너무 공부를 소홀히 했던 탓도 있겠지만
워낙 기초가 없었고 시간 부족 때문이라고
스스로 변명을 해본다
비록 엉망이 되었을망정
일단 투쟁은 모두 끝나 후련하고 홀가분하다
한편 꺼림칙하기도 하고
제대로 답이 쓰여졌는지 계속 불안스럽다

이렇게 해서
예비고사라는 연극은 무사히 끝나고
다시 검은 장막이 세상의 무대를 덮는다

1979년 11월 6일 화요일

투쟁은 끝나고

아침 늦잠을 자려했는데
오히려 더 빨리 눈이 떠진다

습관이 되어 버렸나 보다
이전처럼 긴박감은 없어서 좋다

누워 뒹굴뒹굴하면서
어제와는 다른 상념 속을 헤맨다

과연 실수가 없었는지
점수가 잘 나올는지
끔찍한 생각마저 떠오르면서
마음을 괴롭힌다

이미 던져진 주사위
다시 심기일전하여
평온한 마음으로 때를 기다리자

1979년 11월 7일 수요일

마무리 글

방송통신고등학교에 감사하며

1975년
스물 한 살
매월 첫 주와 셋째 주 일요일

미래 희망의 날개를 접은 채 나전칠기 기술자로 살아가던 암울한 젊은 시절, 방송통신고등학교는 내 인생의 가장 큰 디딤돌이었고 마지막 희망이었다.

나이와 모든 환경이 허락하지 않은 가운데 나전칠기 공장 생활 속의 공부는 뼈를 깎아야 하는 투쟁이었고, 부족한 실력으로 상아탑을 향한 무모한 도전은 살갗이 찢기며 고지를 향해 가는 연어의 처절한 몸부림이었다.

인생의 행마(行馬)를 마치고 지나온 길 다시 돌아보며 걸음걸음 인도하시고 역사하신 하나님의 섭리와 숨결은 마지막 사명을 부여하기 위함이었음을 깨닫고 감사드린다.